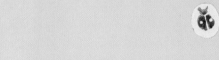

Prévert nous a quittés il y a vingt ans, tout juste.

Les copains, les bistrots, les rues, les chiens, les gens, les amours, les chagrins, les détresses, il avait tout ça dans sa poche, notre ami le poète. Un inventaire à n'en plus finir, un inventaire pour nous enchanter avec les "petites secondes d'éternité" du braconnier du quotidien, son pote, son alter ego en silhouettes, Doisneau.

Natali, comme eux, traverse les rues de Paris. Elle est entrée dans la magie du duo Prévert-Doisneau. Avec ciseaux et pinceaux, fantaisies et lubies, elle a revisité les mots et les photos. De plein cœur, de plain-pied, en collages et couleurs.

Voici le nouveau trio. Il mène le ballet de dix-neuf poèmes. Tendresse, jeux, ironie et humour, dansent sur la musique douce et aigrelette du temps.

Héliane Bernard
11 avril 1997

Le PRÉVERT

TextEs
PREVERT

PhOtoS
DOISNEAU

CollAgeS
NATALI

Collection : *"Il suffit de passer le pont"*
dirigée par Héliane Bernard et Alexandre Faure

JOUR DE FÊTE

Où vas-tu mon enfant avec ces fleurs
Sous la pluie

Il pleut, il mouille
Aujourd'hui c'est la fête à la grenouille
Et la grenouille
C'est mon amie

Voyons
On ne souhaite pas la fête à une bête
Surtout à un batracien
Décidément si nous n'y mettons bon ordre
Cet enfant deviendra un vaurien
Et il nous en fera voir
De toutes les couleurs
L'arc-en-ciel le fait bien
Et personne ne lui dit rien
Cet enfant n'en fait qu'à sa tête
Nous voulons qu'il en fasse à la nôtre

Oh mon père !
Oh ma mère !
Oh grand oncle Sébastien !

Ce n'est pas avec ma tête
Que j'entends mon cœur qui bat
Aujourd'hui c'est jour de fête
Pourquoi ne comprenez-vous pas
Oh ! ne me touchez pas l'épaule
Ne m'attrapez pas par le bras
Souvent la grenouille m'a fait rire
Et chaque soir elle chante pour moi
Mais voilà qu'ils ferment la porte
Et s'approchent doucement de moi
Je leur crie que c'est jour de fête
Mais leur tête me désigne du doigt.

MAINTENANT J'AI GRANDI

Enfant
j'ai vécu drôlement
le fou rire tous les jours
le fou rire vraiment
et puis une tristesse tellement triste
quelquefois les deux en même temps
Alors je me croyais désespéré
Tout simplement je n'avais pas d'espoir
je n'avais rien d'autre que d'être vivant
j'étais intact
j'étais content
et j'étais triste
mais jamais je ne faisais semblant
Je connaissais le geste pour rester vivant
Secouer la tête
pour dire non
secouer la tête
pour ne pas laisser entrer les idées des gens
Secouer la tête pour dire non
et sourire pour dire oui
oui aux choses et aux êtres
aux êtres et aux choses à regarder à caresser
à aimer
à prendre ou à laisser
J'étais comme j'étais
sans mentalité
Et quand j'avais besoin d'idées
pour me tenir compagnie
je les appelais
Et elles venaient
et je disais oui à celles qui me plaisaient
les autres je les jetais

Maintenant j'ai grandi
les idées aussi
mais ce sont toujours de grandes idées
de belles idées
d'idéales idées
Et je leur ris toujours au nez
Mais elles m'attendent
pour se venger
et me manger
un jour où je serai très fatigué
Mais moi au coin d'un bois
je les attends aussi
et je leur tranche la gorge
je leur coupe l'appétit.

SANS FAUTE
(Codicille)

C'est ma faute
c'est ma faute
c'est ma très grande faute d'orthographe
voilà comme j'écris
giraffe.

J'ai eu tort d'avoir écrit cela autrefois
je n'avais pas à me culpabiliser
je n'avais fait aucune phaute d'orthografe
j'avais simplement écrit giraffe en anglais.

LES ANIMAUX ONT DES ENNUIS

A Christiane Verger

Le pauvre crocodile n'a pas de C cédille
on a mouillé les L de la pauvre grenouille
le poisson scie
a des soucis
le poisson sole
ça le désole

Mais tous les oiseaux ont des ailes
même le vieil oiseau bleu
même la grenouille verte
elle a deux L avant l'E

Laissez les oiseaux à leur mère
laissez les ruisseaux dans leur lit
laissez les étoiles de mer
sortir si ça leur plaît la nuit
laissez les p'tits enfants briser leur tirelire
laissez passer le café si ça lui fait plaisir

La vieille armoire normande
et la vache bretonne
sont parties dans la lande en riant comme deux folles
les petits veaux abandonnés
pleurent comme des veaux abandonnés

Car les petits veaux n'ont pas d'ailes
comme le vieil oiseau bleu
ils ne possèdent à eux deux
que quelques pattes et deux queues

Laissez les oiseaux à leur mère
laissez les ruisseaux dans leur lit
laissez les étoiles de mer
sortir si ça leur plaît la nuit
laissez les éléphants ne pas apprendre à lire
laissez les hirondelles aller et revenir.

MALGRÉ MOI...

Embauché malgré moi dans l'usine à idées
j'ai refusé de pointer
Mobilisé de même dans l'armée des idées
j'ai déserté
Je n'ai jamais compris grand-chose
Il n'y a jamais grand-chose
ni petite chose
Il y a autre chose.

Autre chose
c'est ce que j'aime qui me plaît
et que je fais.

POUR TOI MON AMOUR

Je suis allé au marché aux oiseaux
Et j'ai acheté des oiseaux
Pour toi
mon amour
Je suis allé au marché aux fleurs
Et j'ai acheté des fleurs
Pour toi
mon amour
Je suis allé au marché à la ferraille
Et j'ai acheté des chaînes
De lourdes chaînes
Pour toi
mon amour
Et puis je suis allé au marché aux esclaves
Et je t'ai cherchée
Mais je ne t'ai pas trouvée
mon amour.

L'ACCENT GRAVE

LE PROFESSEUR

Élève Hamlet !

L'ÉLÈVE HAMLET

(sursautant)

...Hein ...Quoi ...Pardon... Qu'est-ce qui se passe...
Qu'est-ce qu'il y a... Qu'est-ce que c'est ?...

LE PROFESSEUR

(mécontent)

Vous ne pouvez pas répondre "présent" comme tout
le monde ? Pas possible, vous êtes encore dans les nuages.

L'ÉLÈVE HAMLET

Etre ou ne pas être dans les nuages !

LE PROFESSEUR

Suffit. Pas tant de manières. Et conjuguez-moi le
verbe être, comme tout le monde, c'est tout ce que je vous
demande.

L'ÉLÈVE HAMLET

To be...

LE PROFESSEUR

En français s'il vous plaît, comme tout le monde.

L'ÉLÈVE HAMLET

Bien monsieur.   (Il conjugue :)
Je suis ou je ne suis pas
Tu es ou tu n'es pas
Il est ou il n'est pas
Nous sommes ou nous ne sommes pas...

LE PROFESSEUR

(excessivement mécontent)

Mais c'est vous qui n'y êtes pas, mon pauvre ami !

L'ÉLÈVE HAMLET

C'est exact, monsieur le professeur,
Je suis "où" je ne suis pas
Et, dans le fond, hein, à la réflexion,
Etre "où" ne pas être
C'est peut-être aussi la question.

LA BROUETTE
ou
LES GRANDES INVENTIONS

Le paon fait la roue
le hasard fait le reste
Dieu s'assoit dedans
et l'homme le pousse.

LE CANCRE

Il dit non avec la tête
mais il dit oui avec le cœur
il dit oui à ce qu'il aime
il dit non au professeur
il est debout
on le questionne
et tous les problèmes sont posés
soudain le fou rire le prend
et il efface tout
les chiffres et les mots
les dates et les noms
les phrases et les pièges
et malgré les menaces du maître
sous les huées des enfants prodiges
avec des craies de toutes les couleurs
sur le tableau noir du malheur
il dessine le visage du bonheur.

QUARTIER LIBRE

J'ai mis mon képi dans la cage
et je suis sorti avec l'oiseau sur la tête
Alors
on ne salue plus
a demandé le commandant
Non
on ne salue plus
a répondu l'oiseau
Ah bon
excusez-moi je croyais qu'on saluait
a dit le commandant
Vous êtes tout excusé tout le monde peut se tromper
a dit l'oiseau.

LES ENFANTS QUI S'AIMENT

Les enfants qui s'aiment s'embrassent debout
Contre les portes de la nuit
Et les passants qui passent les désignent du doigt
Mais les enfants qui s'aiment
Ne sont là pour personne
Et c'est seulement leur ombre
Qui tremble dans la nuit
Excitant la rage des passants
Leur rage leur mépris leurs rires et leur envie
Les enfants qui s'aiment ne sont là pour personne
Ils sont ailleurs bien plus loin que la nuit
Bien plus haut que le jour
Dans l'éblouissante clarté de leur premier amour.

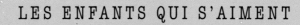

SOYEZ POLIS II

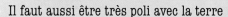

Il faut aussi être très poli avec la terre
Et avec le soleil
Il faut les remercier le matin en se réveillant
Il faut les remercier
Pour la chaleur
Pour les arbres
Pour les fruits
Pour tout ce qui est bon à manger
Pour tout ce qui est beau à regarder
A toucher
Il faut les remercier
Il ne faut pas les embêter... les critiquer
Ils savent ce qu'ils ont à faire
Le soleil et la terre
Alors il faut les laisser faire
Ou bien ils sont capables de se fâcher
Et puis après
On est changé
En courge
En melon d'eau
Ou en pierre à briquet
Et on est bien avancé...
Le soleil est amoureux de la terre
La terre est amoureuse du soleil
Ça les regarde
C'est leur affaire
Et quand il y a des éclipses
Il n'est pas prudent ni discret de les regarder
Au travers de sales petits morceaux de verre fumé
Ils se disputent
C'est des histoires personnelles
Mieux vaut ne pas s'en mêler
Parce que
Si on s'en mêle on risque d'être changé
En pomme de terre gelée

Ou en fer à friser
Le soleil aime la terre
La terre aime le soleil
C'est comme ça
Le reste ne nous regarde pas
La terre aime le soleil
Et elle tourne
Pour se faire admirer
Et le soleil la trouve belle
Et il brille sur elle
Et quand il est fatigué
Il va se coucher
Et la lune se lève
La lune c'est l'ancienne amoureuse du soleil
Mais elle a été jalouse
Et elle a été punie
Elle est devenue toute froide
Et elle sort seulement la nuit
Il faut aussi être très poli avec la lune
Ou sans ça elle peut vous rendre un peu fou
Et elle peut aussi
Si elle veut
Vous changer en bonhomme de neige
En réverbère
Ou en bougie
En somme pour résumer
Deux points ouvrez les guillemets :

"Il faut que tout le monde soit poli avec le monde
  ou alors il y a des guerres... des épidémies
  des tremblements de terre des paquets de mer
  des coups de fusil...
Et de grosses méchantes fourmis rouges qui
  viennent vous dévorer les pieds pendant
  qu'on dort la nuit."

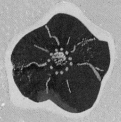
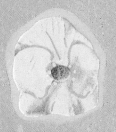

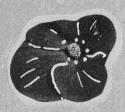

LE CHAT ET L'OISEAU

Un village écoute désolé
Le chant d'un oiseau blessé
C'est le seul oiseau du village
Et c'est le seul chat du village
Qui l'a à moitié dévoré
Et l'oiseau cesse de chanter
Le chat cesse de ronronner
Et de se lécher le museau
Et le village fait à l'oiseau
De merveilleuses funérailles
Et le chat qui est invité
Marche derrière le petit cercueil de paille
Où l'oiseau mort est allongé
Porté par une petite fille
Qui n'arrête pas de pleurer
Si j'avais su que cela te fasse tant de peine
Lui dit le chat
Je l'aurais mangé tout entier
Et puis je t'aurais raconté
Que je l'avais vu s'envoler
S'envoler jusqu'au bout du monde
Là-bas où c'est tellement loin
Que jamais on n'en revient
Tu aurais eu moins de chagrin
Simplement de la tristesse et des regrets

Il ne faut jamais faire les choses à moitié.

FAMILIALE

La mère fait du tricot
Le fils fait la guerre
Elle trouve ça tout naturel la mère
Et le père qu'est-ce qu'il fait le père ?
Il fait des affaires
Sa femme fait du tricot
Son fils la guerre
Lui des affaires
Il trouve ça tout naturel le père
Et le fils et le fils
Qu'est-ce qu'il trouve le fils ?
Il ne trouve rien absolument rien le fils
Le fils sa mère fait du tricot son père des affaires lui la guerre
Quand il aura fini la guerre
Il fera des affaires avec son père
La guerre continue la mère continue elle tricote
Le père continue il fait des affaires
Le fils est tué il ne continue plus
Le père et la mère vont au cimetière
Ils trouvent ça tout naturel le père et la mère
La vie continue la vie avec le tricot la guerre les affaires
Les affaires la guerre le tricot la guerre
Les affaires les affaires et les affaires
La vie avec le cimetière.

CONVERSATION

Le porte-monnaie :
    Je suis d'une incontestable utilité c'est un fait
Le porte-parapluie :
    D'accord mais tout de même il faut bien reconnaître
    Que si je n'existais pas il faudrait m'inventer
Le porte-drapeau :
    Moi je me passe de commentaires
    Je suis modeste et je me tais
    D'ailleurs je n'ai pas le droit de parler
Le porte-bonheur :
    Moi je porte bonheur parce que c'est mon métier
Les trois autres (hochant la tête) :
    Jolie mentalité !

PATER NOSTER

Notre Père qui êtes aux cieux
Restez-y
Et nous nous resterons sur la terre
Qui est quelquefois si jolie
Avec ses mystères de New York
Et puis ses mystères de Paris
Qui valent bien celui de la Trinité
Avec son petit canal de l'Ourcq
Sa grande muraille de Chine
Sa rivière de Morlaix
Ses bêtises de Cambrai
Avec son Océan Pacifique
Et ses deux bassins aux Tuileries
Avec ses bons enfants et ses mauvais sujets
Avec toutes les merveilles du monde
Qui sont là
Simplement sur la terre
Offertes à tout le monde
Éparpillées
Émerveillées elles-mêmes d'être de telles merveilles
Et qui n'osent se l'avouer
Comme une jolie fille nue qui n'ose se montrer
Avec les épouvantables malheurs du monde
Qui sont légion
Avec leurs légionnaires
Avec leurs tortionnaires
Avec les maîtres de ce monde
Les maîtres avec leurs prêtres leurs traîtres et leurs reîtres
Avec les saisons
Avec les années
Avec les jolies filles et avec les vieux cons
Avec la paille de la misère pourrissant dans l'acier des canons.

COMPOSITION FRANÇAISE

Tout jeune Napoléon était très maigre
et officier d'artillerie
plus tard il devint empereur
alors il prit du ventre et beaucoup de pays
et le jour où il mourut il avait encore du ventre
mais il était devenu plus petit.

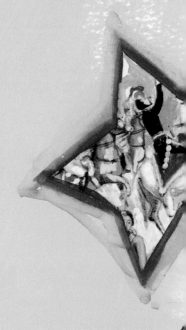

"Le racisme et la haine ne sont pas inclus dans les péchés capitaux, ce sont pourtant les pires"
(octobre 1976).

JE SUIS COMME JE SUIS

Je suis comme je suis
Je suis faite comme ça
Quand j'ai envie de rire
Oui je ris aux éclats
J'aime celui qui m'aime
Est-ce ma faute à moi
Si ce n'est pas le même
Que j'aime chaque fois
Je suis comme je suis
Je suis faite comme ça
Que voulez-vous de plus
Que voulez-vous de moi

Je suis faite pour plaire
Et n'y puis rien changer
Mes talons sont trop hauts
Ma taille trop cambrée
Mes seins beaucoup trop durs
Et mes yeux trop cernés
Et puis après
Qu'est-ce que ça peut vous faire
Je suis comme je suis
Je plais à qui je plais
Qu'est-ce que ça peut vous faire.
Ce qui m'est arrivé
Oui j'ai aimé quelqu'un
Oui quelqu'un m'a aimée
Comme les enfants qui s'aiment
Simplement savent aimer
Aimer aimer...
Pourquoi me questionner
Je suis là pour vous plaire
Et n'y puis rien changer.

Biographies

Jacques Prévert est né le 4 février 1900 à Neuilly-sur-Seine, époque où, en France, s'affrontent dreyfusards et nationalistes. L'enfant a pour copain Louis Aragon. Il lit beaucoup, adore les contes et les mythes, fréquente plus tard les surréalistes et le fameux café "Le Flore". Ses poèmes circulent en sourdine, tapés à la machine, lus dans les cafés-théâtres. Militant actif de gauche, il fait partie, dans les années 30, du groupe de théâtre et d'animations culturelles pour les ouvriers "Octobre". Il mène ce que son jeune et premier éditeur René Bertelé appelle "une bande" de passionnés, qui défendent la démocratie et la liberté. Il écrit des scénarios pour Renoir, Carné, Crémillon et, avec son frère Pierre, il est l'auteur entre autres de "*Drôle de Drame*", "*Les Enfants du Paradis*", "*Quai des Brumes*". "*Paroles*" est publié en 1945. C'est un succès énorme et immédiat. Il meurt le 11 avril 1977.

Robert Doisneau est né à Gentilly en 1912. Il est diplômé de l'école Estienne, travaille au service photographique des usines Renault. Photographe de Paris, des rues, des petites gens, des fêtes, il devient reporter en 1939. Histoires gaies, drôles, mélancoliques, il met en images le quotidien en noir et blanc. Il est mort à Paris en 1994.

Natali est une jeune graphiste. Elle est diplômée de l'École des Beaux-Arts de Lyon, rédactrice à la revue Dada. Elle vit et travaille à Paris. Collages, piratages, coloriages, Natali est ce que l'on appelle communément une "artiste". Elle est l'auteur de "*Y'a plus de saison*", "*Ça fait du bien aux p'tites*", aux éditions Ad Hoc.

TABLE

PAO Aragorn

© copyright 1997, Éditions Mango – ALBUM DADA
Loi n° 49-956 du 16 juillet 1949
sur les publications destinées à la jeunesse.
Dépôt légal : Décembre 1998
ISBN : 2740406789
Achevé d'imprimer par PPO Graphic en octobre 1999

© Éditions Gallimard pour les textes de Jacques Prévert
issus de : *Histoires, Paroles, Choses et autres,*
La pluie et le beau temps, Spectacle,
"Textes divers 1929-1977" recueilli dans
Oeuvres complètes, tome II, Bibliothèque de la Pléiade.
© Robert Doisneau – Rapho